Le béluga du Saint-Laurent

. . . .

ISBN 0-920775-91-8

Imprimé au Canada sur du papier recyclé

A B C D E F

Pour nous avoir autorisé à utiliser leurs photos, nous remercions : Jeff Foott, pp.4/5, 16/17, 30/31; Flip Nicklin, pp.10, 24; Tom McHugh/Photo Researchers Inc., p.13; Jeff Foott/DRK Photo, p.14; John Foster/Masterfile, p.14; Animals Animals/Richard Kolar, p.19; Bill Brooks/Masterfile, pp.21, 25; Barrett & MacKay/Masterfile, pp.26/27; Animals Animals/Ken Cole, p.26; Gordon R. Williamson/Bruce Coleman Inc., p.27; Sandy MacDonald, p.31; Hans Blohm/Masterfile, pp.28/29; Ron & Valerie Taylor/Bruce Coleman Inc., p.29.

Nous tenons également à remercier Pierre Béland, Institut national d'écotoxicologie du Saint-Laurent et Leone Pippard, président & directeur général, Canadiens pour l'avancement de l'écologie, d'avoir participé à la préparation de ce livre.

Conception : Word & Image Design Studio, Toronto

Illustrations (silhouettes) : Dave McKay

Recherches : Katherine Farris

Photo de couverture : J.A. Kraulis/Masterfile

LES ANIMAUX DU CANADA EN VOIE DE DISPARITION

Le béluga du Saint-Laurent

Préparé par OWL Magazine

Texte: Sylvia Funston
Illustrations: Olena Kassian
Traduction: Anne Minguet-Patocka

Greey de Pencier Books

Introduction

Les scientifiques nous disent que certains animaux sont en voie de disparition pour nous mettre en garde contre un danger : si nous ne prenons pas un soin particulier de ces animaux, leur disparition totale ne saurait tarder.

Beaucoup d'animaux sont en voie de disparition parce que les êtres humains ont accaparé leur territoire naturel. D'autres le sont car on les chasse en trop grand nombre. D'autres encore sont menacés d'extinction en raison de la pollution qui les empoisonne.

Vous découvrirez dans ce livre comment vit le béluga du Saint-Laurent. Vous comprendrez pourquoi il fait partie des espèces en voie de disparition et trouverez les mesures mises en oeuvre et celles que vous pouvez prendre pour l'aider à survivre pendant encore des siècles.

Béluga QUIZ

Savez-vous tout sur le béluga du Saint-Laurent? Vérifiez-le en répondant à ce petit questionnaire. *Réponses à la page 32.*

1. Le béluga émet beaucoup de sons bizarres. Parmi ces derniers, lequel un béluga n'émet pas?
a. le son d'une sirène de police
b. le bruit d'une charnière rouillée
c. un grognement ressemblant à celui du cochon.

2. La bosse dont est ornée la tête du béluga s'appelle un melon. Que contient-elle?
a. de l'huile
b. de l'air
c. de l'eau

3. Chez les bélugas, l'évent se trouve :
a. au sommet de la tête
b. à l'extrémité du nez
c. sous l'une des nageoires

4. Quels sont les deux jeux préférés des bélugas?
a. faire tenir des pierres en équilibre sur leur tête
b. poursuivre le béluga qui a des algues
c. jouer à cache-cache

5. De quelle couleur est un bébé béluga à sa naissance?
a. blanc avec des tâches rose
b. gris-brun
c. brun avec des tâches blanches

6. Les bélugas sont les seules baleines qui :
a. tournent la tête pour regarder autour d'eux
b. émettent des sons par l'évent
c. possèdent une épaisse couche de graisse.

7. Chez les bélugas, la mère se sert de son museau pour :
a. défendre son petit
b. bousculer son petit afin de le rappeler à l'ordre
c. se frotter «nez contre nez» avec son compagnon.

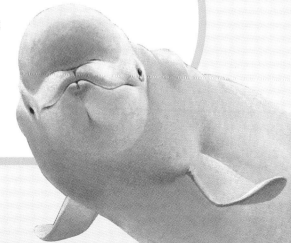

La naissance d'un bébé

Tous les étés, un événement se produit dans les
hautes eaux du Saint-Laurent. Dans des baies
peu profondes le long des îles naissent des
bébés bélugas.

Chez les bélugas, la queue, qui rappelle celle d'une sirène, n'apparaît qu'à l'âge adulte..

Une «tante» béluga nage à côté de chaque mère. Elle se tient prête à pousser le nouveau-né de couleur gris-brun jusqu'à la surface pour qu'il aspire sa première bouffée d'air. Les «tantes» jouent aussi souvent le rôle de gardiennes.

Les bébés bélugas

Pendant deux ans, le bébé béluga tète le riche lait crémeux de sa mère. Quand il a faim, il donne un petit coup à sa mère près de ses mamelles. Celle-ci fait alors gicler du lait dans sa bouche.

Les petits bélugas adorent jouer avec des cailloux et des algues.

Le petit béluga nage si près du dos de sa mère
qu'on a l'impression qu'elle le porte. En fendant
l'eau, l'énorme corps de la mère crée un courant qui
propulse le petit en avant. En se laissant ainsi
porter, le petit peut suivre le troupeau sans trop se
fatiguer.

L'heure du repas

Un béluga adulte fait en général deux gros repas et deux collations par jour. Il mange toutes sortes de poissons, des vers et des fruits de mer, mais aussi des végétaux. Comme il ne peut pas mâcher, il ne se nourrit jamais d'animaux à carapace dure. Un jeune béluga mange les vers et les crevettes qu'il trouve dans la vase au fond du fleuve.

Dès l'âge de cinq ans, il chasse avec le troupeau. Au signal du chef, les énormes baleines blanches plongent à l'unisson, comme si elles n'étaient qu'un seul et même gigantesque chasseur.

Chez les bélugas, les dents apparaissent à l'âge de deux ans.

Le chantonnement des bélugas

À la surface, l'évent sert aux bélugas à communiquer entre eux. Sous l'eau, ils ferment leur évent et chantonnent. Les bélugas produisent un autre genre de son qui ressemble aux petits bruits secs que font les chauves-souris quand elles chassent dans l'obscurité.

Les sons secs qu'émet le béluga se heurtent à des objets dans l'eau et lui reviennent sous forme d'échos. En écoutant ces échos, le béluga peut situer des objets sans les voir.

Chez les bélugas, l'évent est sur le sommet de la tête.

Bruyant, le béluga!

J usqu'à présent, les scientifiques ont compté que les bélugas émettent 200 sons différents. De façon surprenante, un béluga peut produire des claquements, en écouter l'écho - qui lui indique s'il y a de la nourriture ou un danger à proximité - et bavarder en même temps avec un autre béluga!

Les bélugas du Saint-Laurent sont remarquables

▶ Un béluga produit des petits sons secs en déplaçant rapidement de l'air dans le labyrinthe de tubes qui se trouve dans sa tête.

▶ Un béluga se sert de toute sa tête pour écouter l'écho que lui renvoie le son sec qu'il émet. Le son se propage jusqu'aux oreilles par la mâchoire et la bosse remplie d'huile, ou melon, qui se trouve au sommet de sa tête.

▶ À l'aide de ses muscles, le béluga aplatit ou gonfle sa bosse et harmonise ainsi les sons qu'il transmet dans l'eau.

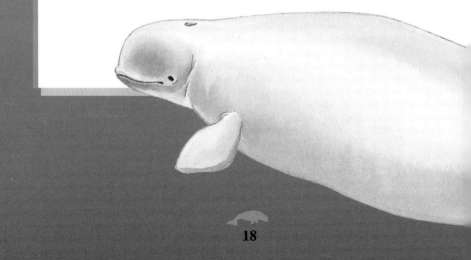

▶ Il n'est pas inhabituel d'entendre des bélugas pépier comme des oiseaux, ronfler ou faire des renvois comme des humains, grogner ou meugler comme les animaux de la ferme, japper comme un chien ou miauler comme un chat.

▶ Un béluga adulte est légèrement plus long qu'un petit camion et aussi lourd qu'une voiture de taille moyenne.

Le petit orifice situé derrière l'oeil du béluga est l'oreille.

Où vivent les bélugas?

Les bélugas de l'Arctique vivent dans les eaux glacées du bout du monde. On ne rencontre toutefois les bélugas du Saint-Laurent, en voie de disparition, que dans le Saint-Laurent.

Il y a des milliers d'années, les bélugas fréquentaient une mer froide qui recouvrait le Québec et l'Ontario. Quand la mer se retira lentement, elle laissa derrière elle un fleuve, le Saint-Laurent.

☐ Bélugas de l'Arctique

■ Bélugas du Saint-Laurent

La rive nord du Saint-Laurent

Les bélugas continuèrent à vivre dans le fleuve, car un courant froid en provenance de l'océan Arctique y passe. Dans ces eaux froides abondent de minuscules plantes et animaux aquatiques qui attirent les poissons dont se nourrissent les bélugas. Le fleuve compte aussi beaucoup d'endroits sûrs pour les bébés bélugas.

Le béluga vu de près

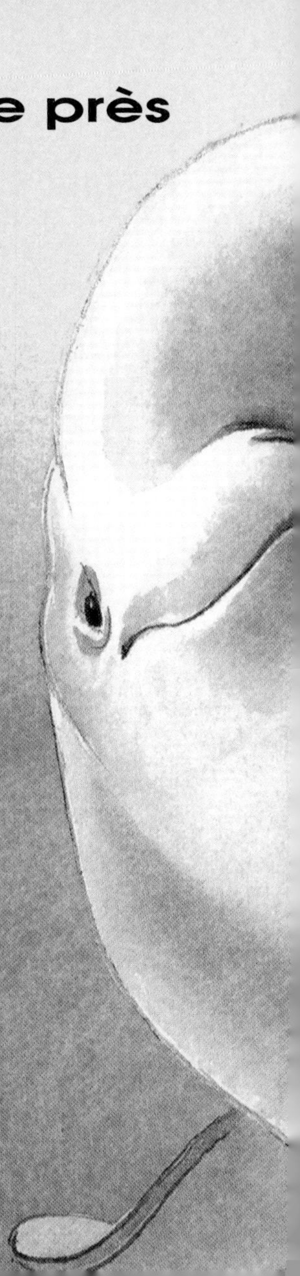

▶ Ses grosses lèvres
permettent au béluga
d'aspirer dans la vase la
nourriture comme un
aspirateur.

▶ Ses dents en forme de pinces
à linge servent au béluga à
attraper avec dextérité les
poissons, mais lui sont inutiles
pour mâcher.

▶ Plus un béluga vieillit,
plus ses nageoires se
recroquevillent.

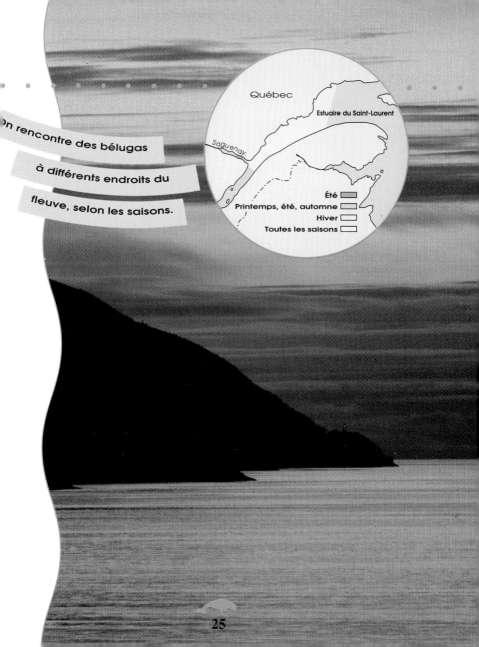

On rencontre des bélugas à différents endroits du fleuve, selon les saisons.

Québec

Estuaire du Saint-Laurent

Saguenay

Été
Printemps, été, automne
Hiver
Toutes les saisons

Qui sont leurs voisins?

L̲e Saint-Laurent, où se déversent sans fin de minuscules plantes et animaux, est un terrain de chasse de prédilection pour de nombreux animaux.

En hiver, les bélugas ont pour compagnons dans les eaux glacées du Saint-Laurent des phoques. Ces animaux se nourrissent aussi des poissons qui fréquentent le fleuve toute l'année.

Un phoque du Groenland et son petit.

Les rorquals communs (ci-dessus) Les petits rorquals se plaisent dans le fleuve en raison de toute la nourriture qu'il recèle.

Au printemps, après la débâcle, des petits rorquals et des rorquals communs commencent à arriver. Ils sont suivis par des baleines à bosse et des baleines bleues, des marsouins communs et des dauphins à nez blanc.

À l'automne, les baleines en visite regagnent l'océan, laissant une fois de plus le fleuve aux phoques et aux bélugas.

En voie de disparition. Pourquoi?

Un habitat qui s'amenuise

La construction d'un barrage ou d'un pont sur un fleuve ou l'aménagement d'un port pour les navires de mer ont des répercussions sur les animaux qui habitent le fleuve. Si un endroit peu profond où les poissons pondent disparaît, les poissons et les bélugas sont touchés.

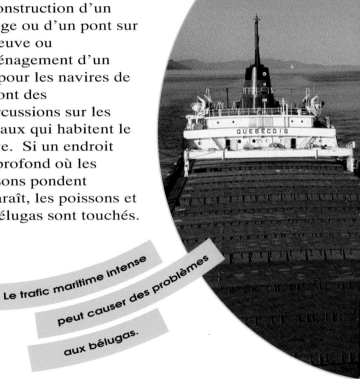

Le trafic maritime intense peut causer des problèmes aux bélugas.

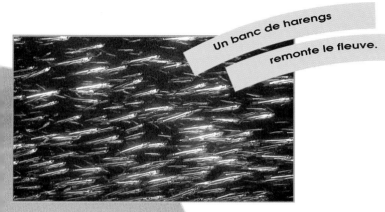

Un banc de harengs remonte le fleuve.

Des mets empoisonnés

Les vers, les crevettes et les poissons avalent divers poisons que déversent dans le Saint-Laurent les usines et des produits chimiques qui servent d'engrais pour les cultures et d'insecticides. Comme les bélugas mangent beaucoup de vers, de crevettes et de poissons, elles s'empoisonnent.

Que fait-on à ce propos?

Pour sauver les bélugas, on a décidé au début de 1990 de créer un parc sous-marin au confluent du Saguenay et du Saint-Laurent.

Grâce à ce parc, beaucoup d'endroits où les bélugas mettent bas leurs petits ou se nourrissent seront protégés. Il sera interdit de jeter des déchets dans ces eaux ou de draguer le lit du fleuve pour le creuser. Le canotage sera surveillé et la construction de ports ou de ponts devra être minutieusement planifiée. De plus, les propriétaires d'usines doivent faire leur part en réduisant le volume des substances qui polluent le fleuve.

Le confluent du
Saguenay et du
Saint-Laurent.

Que pouvez-vous faire?

► Faites des recherches sur les espèces en voie de disparition et sur les mesures prises pour les sauver. Racontez ensuite à d'autres personnes ce que vous avez découvert. Consultez ces centres de ressources:

1. La bibliothèque de l'école et la bibliothèque municipale.

2. La Fédération canadienne de la faune, 2740 Queensview Drive, Ottawa (Ontario) K2B 1A2.

3. Le Ministère fédéral de l'Environnement, Terrasse de la Chaudière, 28e étage, 10, rue Wellington, Hull (Québec) K1A 0H3 (pour obtenir des renseignements sur le béluga et la réduction de la pollution).

4. Institut national d'écotoxicologie du Saint-Laurent, 3872 Parc La Fontaine, Montréal (Québec) H2L 3M6

Participez à la sauvegarde de l'environnement. Joignez-vous au programme de prix du HOOT Club des magazines OWL et Chickadee.

► Écrivez à OWL Magazine, 56 The Esplanade, Suite 306, Toronto (Ontario) M5E 1A7

Réponses au quiz

1-a, 2-a, 3-c, 4-a et b, 5-b, 6-a, 7-b